Canolfan Adnoddau Addysgu
COLEG Y DRINDOD CAERFYRDDIN

Centre EN-CWM

YN ÔL I BEN-CWM

Edwin C. Lewis

Argraffiad Cyntaf—1992

ISBN 0 86383 975 4

ⓗ Edwin C. Lewis

Lluniau gan Carys Parry Owen

*Dymuna'r cyhoeddwyr gydnabod cymorth
Adrannau'r Cyngor Llyfrau Cymraeg.*

*Argraffwyd gan
J. D. Lewis a'i Feibion Cyf., Gwasg Gomer, Llandysul*

Pennod 1

'Dim ond deg milltir arall Dad, ac mi fyddwn ni yno!'

Roedd Owain wedi gwylio'r milltiroedd yn ofalus bob cam o'r siwrnai yn y car y bore hwnnw.

'A dim ond deg awr arall ac mi fydd hi'n Nadolig,' sibrydodd Olwen ei chwaer, gan bwyso'n gyfforddus ar glustog fechan yn ei hymyl.

Bu'r daith o bedair awr yn y car o Lundain yn hir a blinedig, ac roedd pawb yn dyheu am seibiant.

'Ry'n ni bron â chyrraedd,' meddai eu tad. 'Lwc i ni gychwyn yn gynnar.'

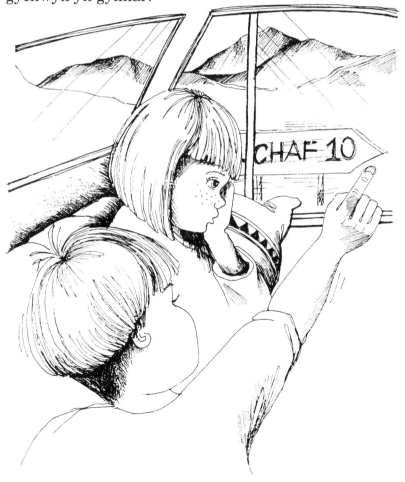

'Rwy i bron â marw eisie bwyd!' ychwanegodd Owain. 'Cinio Mam-gu yw'r pryd mwya blasus yn y byd!'

Bob gwyliau ysgol, byddai Harri Puw a'i wraig Menna a'u plant yn dychwelyd i'w hen gartref, Fferm Pen-Cwm ym mhen uchaf Cwm Tawe. Er eu bod yn byw yn Llundain ers pedair blynedd bron, roedd eu calonnau'n dal yn eu hen gynefin yng Nghymru, ac yno roedd ffrindiau gorau Owain ac Olwen yn byw hefyd. Byddai Owain a'i ffrind Aled yn llythyru'n gyson ac anfonai Olwen bwt o lythyr i'w ffrind Heledd o bryd i'w gilydd.

Bob tro pan gyrhaeddent Ben-Cwm, byddai Mam-gu yno yn ei ffedog ar drothwy'r ffermdy'n eu disgwyl, a byddai'r cŵn defaid, Nel a Mot, wedi'u cadwyno wrth wal y buarth rhag ofn iddyn nhw, yn eu llawenydd, neidio i fyny a chrafu'r car.

Ond yr olygfa orau, ym marn Owain, fyddai'r wledd o ddanteithion a lenwai ford fawr y gegin. O'i hamgylch byddai Modryb Megan, chwaer ei dad, yn ffws a ffwdan i gyd, yn ysu am gael gweini arnynt.

Ar gyrion Treforys trodd y car oddi ar y draffordd ac roedden nhw'n ôl unwaith eto yng Nghwm Tawe.

'Pam y'n ni'n arafu? Beth sy'n bod nawr?' gofynnodd eu mam yn ofidus.

'Peiriant yr hen gar sy'n gor-dwymo eto. Mae e'n colli dŵr, weli di; rwy i wedi bod yn cadw llygad arno fe ers cetyn.'

'Ddylset ti fod wedi'i drwsio cyn gadael Llundain!' arthiodd eu mam arno. 'Mae rhywbeth yn bod ar yr hen gar yma bob tro y'n ni'n mynd mas ynddo fe.'

'O! Dad, allwn ni gael car newydd, un mawr coch?' gofynnodd Olwen yn ddiniwed.

'Ie!' ychwanegodd Owain, 'Beth am Porsche neu Targa . . .'

'O bril!' ebychodd Olwen.

'Un o'r goreuon. . . Mi alla i'n gweld ni'n awr yn gwibio dros gan milltir yr awr ar hyd y draffordd. . . Gawn ni Porsche, Dad. Plîs?'

Gwenodd eu tad am eiliad, cyn difrifoli unwaith eto. Prynu car newydd oedd y peth olaf a fyddai am ei wneud —o ystyried ei sefyllfa ariannol.

'Gwranda, grwt, allwn ni ddim fforddio prynu unrhyw fath o gar ar hyn o bryd. . . Estyn y stên ddŵr 'na o'r cefn, wnei di?'

Roedd y car wedi stopio ar ochr y ffordd, a neidiodd Harri Puw allan i godi'r boned.

'Edrych, Owain! Weli di'r aderyn gwyn 'na?'

'Colomen yw honna! Rwy wedi clywed hen ddigon am golomennod yn barod. Dyna'r cyfan mae Aled yn sôn amdano yn ei lythyron. Mae e'n dwlu arnyn nhw.'

'Fel llawer o bobl yn y cwm 'ma. . . Reit dreiwn ni 'to te!'

Caeodd Harri'r boned â chlep swnllyd, a neidiodd Owain ac yntau yn ôl i'r car. Taniodd y peiriant a gyrrodd i fyny'r cwm.

'Wyt ti'n meddwl y cyrhaeddwn ni yn y rhecsyn 'ma?' holodd eu mam yn bigog, 'Bydd cig moch Mam-gu wedi hen grasu.'

'O, cig moch,' meddai Owain. Caeodd ei lygaid a rhwbiodd ei fol: 'M-m-m-m-m-m!'

Chwarddodd Olwen wrth weld ystumiau ei brawd, ond dal yn sychlyd roedd eu mam.

Arafodd y car eto cyn troi oddi ar yr heol brysur o Abertawe i Aberhonddu ac i mewn yn ofalus i lôn fach gul. Yna dringodd yn herciog i fyny at ffermdy Pen-Cwm. Roedd y cŵn yn swnllyd eu croeso, ac yn ymyl y glwyd roedd dau wyneb serchus yn eu croesawu'r un mor gynnes.

'Ble yn y byd y'ch chi wedi bod?' holodd Mam-gu wrth gusanu a chofleidio'r plant. 'Mae llond bord o fwyd yn y gegin 'cw, a neb i'w fwyta fe!'

'Yr hen gar 'ma sy'n mynd ar ei waeth!' atebodd Menna yn gwta, heb weld y winc fach slei a daflodd Harri ar Mam-gu.

Rhedodd y plant i'r tŷ gan dynnu'u modryb gyda nhw. Dadlwythodd eu tad y car a dilynodd y lleill at y ford.

Rhyw awr yn ddiweddarach, pan oedd pawb wedi gorffen bwyta ac yn teimlo'n gyfforddus a chartrefol, dosbarthwyd y parseli a gariwyd bob cam o Lundain.

'Mae hwn i chi, Mam-gu, oddi wrth Harri a fi,' dywedodd Menna gan estyn bag iddi. 'Gobeithio y bydd y lliw yn eich plesio.'

Gafaelodd Mam-gu yn y bag a chusanodd foch ei merch-yng-nghyfraith yn ysgafn.

'Megan, mae hwn oddi wrthon ni'n dau,' ychwanegodd Menna wrth roi bocs bach mewn papur llachar i'w chwaer-yng-nghyfraith.

'I chi Mam-gu, â llawer o gariad. Cofiwch ei ddefnyddio bob dydd,' dywedodd Olwen, 'a'r un peth sydd i chi Modryb Megan.'

Owain oedd yr olaf i gynnig ei roddion, a theimlai yn swil. Dau barsel anniben o ran eu golwg oedd ganddo, ac estynnodd nhw'n ddiseremoni.

Cododd Mam-gu o'i chadair yn llwythog a dywedodd, 'Wn i ddim beth 'wy i wedi'i wneud i haeddu'r rhain i gyd! Diolch o galon i chi. Fe ro i nhw ar y dreser am heno. Nawr 'te, ble yn y byd dodais i'ch anrhegion chi?' Pwyllodd yn bwrpasol am eiliad brofoclyd. 'O, 'wy'n cofio. Maen nhw dan y goeden!'

Agorodd Modryb Megan y drws pellaf a gwelodd y plant oleuadau coeden Nadolig fawr yn wincio yn nhywyllwch y cyntedd. Cyneuodd y golau i ddangos pentwr o barseli

amryliw, deniadol, wrth fôn y goeden. Ond cyn i'r plant
gael amser i symud atynt tarawodd cloc wyth niwrnod
wrth waelod y staer: roedd hi'n wyth o'r gloch ar Noswyl
Nadolig!

'Reit! Gwely i chi'ch dau. Erbyn i chi ymolch a newid, fe
fydd hi'n hwyr. Gewch chi drwy'r dydd fory i chwarae â'r
anrhegion 'na.'

Gwenodd Olwen ac Owain wrth ddychmygu cynnwys y
parseli. Ond doedd dim diben dadlau â'u mam y noson
honno. A ph'un bynnag, roedd eu hamrannau'n trymhau
bob munud.

10

Pennod 2

Y bore bach oedd hi pan gododd Harri o'i wely cynnes. Clywodd sŵn traed ysgafn ar y grisiau a gwyddai fod rhaid iddo frysio.

Erbyn iddo gyrraedd y gegin roedd Modryb Megan yn ei chôt a'i welingtons.

'Nadolig Llawen iti, Harri! Rwyt ti'n fore.'

'Gwylie gwaith yw'r rhain. Aros di yma... fe af i i fwydo'r anifeiliaid. Mae 'da ti ddigon i'w wneud yn y gegin 'ma.'

'Wel, fe alla i wneud y tro â thamed o help heddi... Diolch i ti, Harri! Fe ro i'r twrci yn y ffwrn ac fe gei di roi gwair i'r gwartheg duon, a chofia am y defaid yn y Cae Mawr.'

Agorodd Harri'r drws a disgynnodd trwch o eira i mewn dros y trothwy.

'Mawredd—edrych! Nadolig gwyn! Rown i'n meddwl ei bod hi wedi troi'n fwyn neithiwr!'

'Wyt ti am newid dy feddwl?' holodd Megan dan chwerthin.

Ond cau'r drws â chlep wnaeth Harri a chroesi drwy'r eira at y tractor a safai ym mhen draw'r buarth.

Roedd e'n hen gyfarwydd â'r patrwm: mewn i'r ysgubor fawr, llwytho'r treilar â gwair, allan i'r caeau i ddadlwytho, ac yn ôl i'r ysgubor eto...

Synhwyrodd fod ganddo gwmni, ac yng ngolau'r tractor gwelodd ei ddau gyfaill y tu cefn iddo ar y treilar: Nel a Mot. Mor braf oedd bod 'nôl yn ei hen gynefin unwaith eto a chael anghofio am ei broblemau—dros dro o leiaf!

Erbyn wyth o'r gloch roedd y gwaith wedi'i gwblhau. Trodd drwyn y tractor i mewn i'r buarth a gweld Mam-gu yn brwsio'r eira oddi ar garreg y drws. Cododd ei phen pan glywodd sŵn y peiriant.

'Nadolig Llawen, Harri!'

'Ac i chithe, Mam!'

'Tyrd! Mae brecwast yn barod!'

Pan gamodd i'r gegin fe'i trawyd gan arogl cig moch yn ffrio, y tôst dan y gradell a choffi'n ffrwtian.

'Ble mae'r plant?' gofynnodd yn ddistaw.

'O! Rwyt ti'n siŵr o fod wedi'u dihuno nhw erbyn hyn â sŵn y tractor 'na,' atebodd Mam-gu.

Gyda hynny neidiodd y ddau i'r gegin yn eu dillad nos. Roedd bocs mawr trwm a llyfr anferth ym mreichiau Olwen.

'Edrychwch, Mam! Edrychwch ar y llyfr patrymau yma oddi wrth Mam-gu! Gyda'r peiriant gwnïo a'r patrymau hyn, mi fydda i'n gallu gwnïo a gwnïo am byth bythoedd!'

Chwarddodd pawb.

'Beth sy gen ti, Owain?' gofynnodd ei dad.

'Yr union beth rown i eisiau,' atebodd gan ddal gwialen bysgota.

'Beth sy yn y bocs 'na?' holodd ei fam.

'Casgliad o blu pysgota... Mae Mam-gu'n un dda am ddewis anrhegion!'

Gwenodd Mam-gu a gofyn, 'Welsoch chi anrheg Sam o dan y goeden?'

'Anrheg Sam?' Edrychodd Owain yn syn. 'Beth oedd ei faint e?'

'Rhyw becyn bach wedi'i rwymo mewn papur arian.'

'Peidiwch â becso Mam-gu. Mae e siŵr o fod gyda'r mân bethau sy heb eu hagor y tu ôl i'r goeden,' ychwanegodd Olwen.

Rhedodd Owain i'r cyntedd i'w nôl.

'Dyna fe!' dywedodd Mam-gu, 'Rho fe ar y dreser. Bydd Sam yn siŵr o alw cyn cinio.'

Edrychai'r plant ymlaen yn eiddgar at weld Sam unwaith eto. Roedd e'n un o fugeiliaid gorau'r cwm, a'i gŵn defaid yn enillwyr cyson mewn treialon ledled y wlad. Erbyn hyn, roedd wedi ymddeol fwy neu lai o fod yn fugail amser-llawn. Serch hynny, cadwai lygad barcud ar ddefaid Fferm Pen-Cwm o hyd. Ar ei ben ei hun mewn tyddyn anghysbell tua milltir a hanner i fyny'r mynydd yr oedd e'n byw, ond mynnai Mam-gu ei ystyried yn un o'r teulu.

Diflannodd y bore, ac am hanner dydd roedd cinio Nadolig ardderchog ar blât pob un.

Roedd Modryb Megan wedi gosod llu o gracers lliwgar ac aeth pawb ati i'w tynnu gan weiddi a sgrechian am y gorau. Ynghanol yr holl firi sylwodd Olwen fod golwg ofidus ar wyneb Mam-gu.

'Beth sy'n bod, Mam-gu?'

'Sam sy'n hwyr iawn!' atebodd gan droi at Modryb Megan.

'Yr eira 'ma sy wedi'i gadw. Mi ro i ginio arall yn y ffwrn, bydd e'n siŵr o alw cyn bo hir,' meddai Megan.

Yn union wedi cinio, aeth Mam-gu allan i'r buarth. Roedd popeth yn wyn a disglair ond doedd neb i'w weld yn unman. Daeth yn ôl i'r gegin a dweud, 'Does dim amdani ond mynd ag anrheg Sam ato fe. Pwy aiff lan i'r bwthyn yn fy lle i?'

'Fi,' meddai Owain yn frwd. 'Es i yno gyda Dad llynedd, ac rwy'n cofio'r ffordd yn dda.'

'A 'wy i'n dod hefyd!' mynnodd Olwen.

Pennod 3

'Dere Olwen, brysia!'

Roedd Owain yn barod wedi cyrraedd crib y rhiw serth a godai tu ôl i'r ffermdy. Eisteddodd ar garreg i ddisgwyl ei chwaer a gerddai'n igam-ogam yn yr eira y tu ôl iddo.

'Dringa'n syth! Ti 'di meddwi neu rywbeth?'

Ateb Olwen oedd plygu i lawr yn sydyn, cwpanu'i dwylo yn yr eira, a thaflu pelen eira'n rymus at Owain. Aeth yn ornest ffyrnig am rai munudau, nes bod siwmperi lliwgar y ddau yn drwch o wynder ysgafn.

Gan chwythu a chwerthin dechreuodd y ddau ddringo unwaith eto a haul gwanllyd y prynhawn yn goleuo'r llwybr drwy'r eira.

Ar ôl dringo'n ddigon uchel gwelsant gwm bach cul yn y pellter islaw.

'Dyna'r ffordd, wel 'di? Lawr a heibio i'r llwyn celyn acw . . .' meddai Owain.

Ond roedd Olwen eisoes yn rhedeg o'i flaen, ei breichiau ar led wrth iddi wibio i lawr y llethr i gôl y gwynt ac i gyfeiriad y llwyn.

'Aros!' gwaeddodd Owain.

Ar ôl cyrraedd y llwyn trodd y ddau a dringo unwaith eto heibio i ysgwydd o graig.

'Dylen ni fod yn gallu gweld y bwthyn nawr,' addawodd Owain. 'Dyna fe! Edrych! Dyna gartref Sam!' Roedd e'n falch ei fod wedi arwain ei chwaer i'r bwthyn yn ddiogel, er gwaetha'r eira trwchus.

Wrth iddynt agosáu at y bwthyn, synnodd Olwen fod y cyfan o'i amgylch yn llonydd a distaw.

'Does neb i'w weld yma, Owain. Does dim olion yn yr eira chwaith. Weli di fwg o'r simdde? Ac mae hi mor oer!'

'Gawn ni weld nawr,' atebodd ei brawd gan neidio i fyny'r llwybr a churo'r drws. 'Sam! Sam! Y'ch chi yna, Sam?' Doedd dim ateb.

'Mae rhywbeth mawr yn bod, Owain. Glywi di'r sŵn 'na?'

Gwrandawodd Owain am eiliad a chlywodd sŵn crafu o'r ochr arall i'r drws.

'Fflei sy' 'na. Galw arni!'

Galwodd Olwen yn dyner ar Fflei ac atebodd y ci drwy gyfarth yn wanllyd.

Gwthiodd Owain y drws yn agored a rhuthrodd y ci allan a heibio iddynt.

'Ble mae Sam?' gofynnodd Olwen mewn llais bach main.

Aeth Owain i mewn dros y trothwy, a dilynodd Olwen gan afael yn dynn yn ei fraich.

Agorai'r drws yn union i mewn i'r ystafell, unig ystafell y bwthyn. Doedd dim sôn am dân yn y grât, a doedd neb i'w weld yno.

'Fanna!' sgrechiodd Olwen.

Roedd ei llygad wedi sylwi ar rywbeth yn y cysgod y tu ôl i'r drws. Yno, yn swpyn diymadferth ar y llawr oer, gorweddai Sam, ac yn ei ymyl ar ei hochr roedd hen stôl odro deircoes a brigyn o gelyn.

'Ydy e . . . Ydy e wedi marw?' sibrydodd Olwen.

'Wn i ddim,' atebodd Owain yn dawel.

Penliniodd a cheisiodd wrando. Roedd Sam yn anadlu'n wanllyd.

'Ydy, mae e'n fyw ond mae angen help arno. Edrych ar ei goes e! Brysia! Rhed yn ôl i'r fferm ar unwaith, Olwen,

a dwed wrth Dad. Bydd e'n gwybod beth i'w wneud. Cofia sôn am ei goes a . . . '

Ond roedd Olwen wedi hen ddiflannu drwy'r drws ac yn rhedeg nerth ei thraed i fyny'r bryn.

Tynnodd Owain ei siwmper a'i gosod yn ofalus dan ben Sam. Sylwodd fod côt fawr o frethyn llwyd yn hongian y tu ôl i'r drws. Cydiodd ynddi a'i gosod yn dyner dros yr hen ŵr i'w gadw'n gynnes. Gofalodd beidio â'i symud o gwbl.

Wedi cyrraedd y llwyn celyn, anelodd Olwen yn syth yn ei blaen, a dringo'n ddiflino. Ond, yn lle'r oedd hi? Edrychodd o'i chwmpas mewn siom. Doedd hi ddim yn adnabod y lle. Cerddodd i'r chwith. Ond ni welai lwybr yn unman. Rhedodd yn ôl i'r dde. Roedd hwnnw yr un mor ddieithr iddi. Meddyliodd am eiliad. Dim ond dwy ffordd oedd i symud ar fynydd: i fyny neu i lawr. Roedd hi newydd ddringo i fyny, felly trodd ar ei sawdl a mynd tuag i lawr.

Llithrodd yn ffyddiog dros ysgwydd y graig. Yna gwelodd ei chamsyniad. Doedd dim olion traed yn yr eira o'i blaen. Roedd hi'n mynd y ffordd anghywir. Trodd a dilynodd y llwybr roedd hi newydd ei droedio gan geisio meddwl am Sam yn gorwedd mewn poen yng ngofal Owain. Ond roedd gofid arall yn dechrau ei phlagio. Ofnai yn ei chalon ei bod ar goll.

Doedd yr olion traed yn yr eira, ddim yn ei harwain hi i lawr, er y gwyddai fod y fferm rywle yn is. Safodd yn ei hunfan a chymylodd ei llygaid â dagrau. Dechreuodd snwffian. Rhwbiodd ei thrwyn â chefn ei llaw. Ac roedd hi'n oeri bob munud. Llifodd deigryn dros ei boch. Ac yna un arall ac un arall. Yno, yn unigrwydd yr eira dechreuodd wylo'n druenus. Fyddai neb byth yn cael hyd iddi yn y fan hon!

19

Ochneidiodd, ac yna penderfynodd fod yn ddewr a rhoi cynnig arall ar ddilyn yr olion. Dyma'i hunig obaith; a bydden nhw'n siŵr o'i harwain naill ai'n ôl at y bwthyn neu ymlaen at y fferm. Doedd hi ddim wedi sylwi fod y gwynt wedi codi a bod ambell bluen eira'n disgyn yn gyflym. Diflannodd yr heulwen, a throdd pobman yn llwydaidd ei wedd.

Yna'n ddirybudd, sylwodd Olwen fod yr olion traed yn arwain unwaith eto at ymyl y graig lle y bu o'r blaen. Roedd wedi troi mewn cylch! Rhedodd i'r cyfeiriad arall— bellach yn nannedd y gwynt gan weld yr eira'n disgyn yn flanced drwchus o'i hamgylch. Rhwbiodd ei llygaid a chnodd ei gwefus. Dechreuodd wylo unwaith eto.

Mewn munudau roedd yr eira wedi cuddio ôl ei thraed, ac roedd ei hofn yn ei llethu. Ofnai syrthio . . . i lawr ac i lawr y mynydd . . . neu rewi'n gorn.

Meddyliodd eto am ei brawd yn y bwthyn. Owain ddylai fod wedi mentro'n ôl i Fferm Pen-Cwm a hithau ddylai fod wedi aros yn gwmni i Sam. Meddyliodd am ei mam-gu, am wres y gegin ac am ei mam a'i thad. Credodd am eiliad iddi glywed lleisiau. Ai dychmygu roedd hi? Cnodd ei bys bawd yn ofnus a dechreuodd grynu. Cofiodd am y straeon roedd wedi'u darllen am deithwyr ar goll ar y mynydd yn clywed lleisiau . . .

Ond cynyddodd sŵn y lleisiau a symudodd Olwen ychydig i gyfeiriad y sŵn . . .

Eto ni fedrai weld neb am fod ysgwydd wen o'i blaen.

Yna dechreuodd y lleisiau wanhau. Roedd pwy bynnag oedd yno'n mynd ymhellach oddi wrthi! 'H-e-l-p!' sgrech- iodd mor nerthol ag y gallai, 'Help . . . help!' Oni allai dynnu eu sylw byddai ar y mynydd drwy'r nos. 'H-e-l-p!' gwaeddodd eto, 'Helpwch fi plîs!'

Yna, gwelodd ddyn eira'n ymlwybro'n araf tuag ati'n

ddistaw, ac eraill yn ei ddilyn . . . Wedyn, syrthiodd rhyw ddüwch o'i chwmpas.

* * *

Teimlodd Olwen ei hun yn cael ei hysgwyd yn ysgafn a phan agorodd ei llygaid synnodd weld cymaint o wynebau'n edrych i lawr arni. Dieithriaid oeddynt, ond ni theimlai unrhyw ofn bellach. Gwelodd fod dwy ferch ifanc yn penlinio yn yr eira yn ei hymyl a cheisiodd godi.

'Wyt ti'n barod i eistedd i fyny?' gofynnodd un ohonynt mewn llais tyner.

'Ydw,' sibrydodd Olwen.

'Yf y cawl twym 'ma a daw'r lliw'n ôl i dy foche di.'

Tra oedd Olwen yn yfed y cawl eglurodd Mair a Meinir fod y grŵp cerddwyr wedi cael braw ofnadwy o'i chlywed yn sgrechian am help.

21

Roedden nhw i gyd yn gerddwyr profiadol ac yn methu deall beth roedd rhywun fel Olwen yn ei wneud ar ben mynydd yn yr eira ar ei phen ei hun.

Mewn eiliadau roedd hithau wedi adrodd ei stori. Tynnodd yr arweinydd fap a chwmpawd o'i boced.

'Reit! Dyma ni yma ar lethrau Castell y Geifr, a dyna Fferm Pen-Cwm. Roeddet ti'n mynd i'r cyfeiriad anghywir.'

'Beth am Sam druan?'

'Ble mae'i fwthyn e? Dangos i mi.'

'Wn i ddim. Rhywle tu ôl i fferm Mam-gu.'

Symudodd un arall o'r cerddwyr ati a gofyn:

'Wyt ti'n sôn am Sam Morgan y bugail?'

'Ydw.'

'Mi wn i'n iawn am y lle,' meddai, gan bwyntio at ysgwydd y bryn.

'Dewch!' dywedodd wrth ei gyfeillion. 'Dewch gyda fi. Fyddwn ni fawr o dro. Mair a Meinir, ewch chi'n ôl gydag Olwen i Fferm Pen-Cwm i alw'r ambiwlans. Mi allwn ni gario Sam Morgan i lawr atoch chi.'

Tynnodd Mair anorac ysgafn las allan o'i sach a'i hestyn i Olwen.

'Gwisg hon am y tro dros dy siwmper. Mae hi'n dechrau oeri, a dyma ddarn o siocled a phecyn o gnau iti.'

Roedd Olwen wrth ei bodd yng nghwmni'r ddwy. Gweithio yn y banc yn Ystradgynlais roedd Mair a Meinir, ond roeddent yn crwydro'r mynyddoedd yn eu hamser hamdden.

Pan gyrhaeddon nhw Fferm Pen-Cwm, roedd hi'n dechrau nosi a Harri wrthi'n gwisgo'n barod i fynd i gwrdd â'r plant.

'Ble mae Owain?' gofynnodd Menna yn bryderus pan welodd y tair ohonynt. Yna clywodd y newyddion drwg ynglŷn â Sam.

Ffoniodd Harri am yr ambiwlans ar unwaith ac aeth

Modryb Megan i'r gegin i baratoi ar gyfer derbyn y cerddwyr.

Cyn bo hir clywsant y cŵn yn cyfarth yn wyllt, wrth i ambiwlans â'i oleuadau glas yn wincian, facio i mewn i'r buarth.

Cyn pen dim daeth un o'r cerddwyr at ddrws y fferm i ddweud bod Sam a'r lleill ar fin cyrraedd.

Roedd Harri eisoes allan â'i lamp yn eu hebrwng.

Cariwyd Sam yn syth i mewn i'r ambiwlans. Yr unig beth a welodd Olwen oedd ei wyneb gwelw, a bod ei goesau wedi'u rhwymo.

Neidiodd ei thad i mewn wrth ochr Sam a diflannodd yr ambiwlans yr un mor sydyn ag yr ymddangosodd.

Gwahoddodd Mam-gu bawb i mewn i wres y gegin lle'r oedd digonedd o de a choffi twym a theisen Nadolig a mins peis hyfryd yn eu disgwyl.

'Roeddet ti'n glyfar iawn i ddod o hyd i'r cerddwyr yma,' sibrydodd Owain wrth ei chwaer.

Gwridodd Olwen ac edrychodd o'i hamgylch cyn ateb. Doedd neb wedi clywed geiriau ei brawd.

'Wel!' dechreuodd gan wenu. 'Mae merched yn gallu gwneud gwyrthiau weithiau.'

Agorodd llygaid Owain mewn edmygedd.

'Beth sy gen ti fan'na?' gofynnodd Mam-gu, gan sylwi ar Owain yn tynnu rhywbeth disglair o'i boced.

'Yr anrheg, anrheg Sam. Ches i ddim cyfle i'w roi iddo.'

Gwenodd Mam-gu'n fodlon arno.

Fel roedd yr olaf o'r cerddwyr yn ffarwelio â'r ffermdy canodd y ffôn.

Clywodd Modryb Megan lais ei brawd o'r ysbyty yn cadarnhau bod Sam wedi torri'i goes. Byddai'n rhaid iddo aros yn Ysbyty Treforys am dridiau, a byddai'r plastr am ei goes am ryw chwe wythnos.

Wrth fynd heibio i'r goeden Nadolig ar eu ffordd i'r gwely y noson honno, sylwodd y plant fod un anrheg heb ei hagor wrth fôn y goeden. Roedd Olwen ar fin cydio yn y pecyn bach arian pan dynnodd Owain ei braich yn ôl a wincio arni. 'Anrheg Sam yw honna.'

Roedd Mam-gu wedi mynnu ei gosod yno i ddisgwyl Sam yn ôl.

Pennod 4

Roedd Harri wedi codi a gwisgo ymhell cyn y wawr.

Yr un fyddai'r drefn ar y fferm y diwrnod hwnnw â phob diwrnod arall yn ystod y gaeaf: cario bwyd i'r anifeiliaid, tywallt rhagor o ddŵr glân i'r cafnau, cadw llygad ar yr ŵyn diweddaraf, a thrwsio rhywfaint ar y ffensys hwnt ac yma.

Hoffai'r gwaith a theimlai wrth ei fodd ar y fferm yn crwydro'r caeau. Roedd byw a bod yn Llundain yn estron iddo, ond yno, yn anffodus, y cawsai waith ryw bedair blynedd yn ôl, wedi cyfnod digon llwm a lletchwith ar y fferm. Gwelsai nad oedd hi'n bosib bellach cynnal chwech ohonynt ar gynnyrch Fferm Pen-Cwm, a phenderfynodd fynd â'i deulu, fel llawer un o'i flaen, i Lundain. Roedd Menna, ei wraig, wedi rhoi ei chas ar y lle o'r diwrnod cyntaf, ac yn dyheu am fynd yn ôl i'r wlad i fyw. Anaml y byddai gwên ar ei hwyneb y dyddiau hyn. Roedd prisiau'r brifddinas yn afresymol o uchel, a dim ond fflat bychan oedd ganddynt mewn rhan digon tlodaidd o'r ddinas. Ac erbyn hyn roedd eisiau ystafell yr un ar y plant. Roedd ei ofidiau'n pentyrru.

'Harri! Yma yn y sgubor fach wyt ti? A finne'n chwilio amdanat ti ym mhobman.'

Neidiodd wrth glywed llais ei chwaer. Roedd hi wedi dod â chwpanaid o de twym iddo.

'Be sy'n bod, Harri?'

'Meddwl rown i. Poeni am y dyfodol. Mae'r gwaith sy 'da fi yn Llundain yn dod i ben, a chyn hir, mi fydda i ar y clwt fel y miloedd eraill.'

Edrychodd Megan yn syn ar ei brawd.

'Pryd fydd y gwaith yn dod i ben?'

'Paid ti â gofidio.'

'Ateb fi, Harri; y gwir cofia!'

Yfodd y te yn araf, heb ddweud gair ac yna meddai:
'Rydw i *wedi* gorffen, ers pythefnos. Cofia, does neb arall
yn gwybod hynny. Dim hyd yn oed Menna.'

'Be wnei di nawr?'

'Wel, rydw i wedi bod yn y Ganolfan Waith bob dydd yn
ystod y bythefnos diwetha 'ma'n chwilio am swydd, ond
heb fawr o lwc. . . Mae 'da fi'r tâl diswyddo ond bydd
rhaid i mi gael gwaith yn fuan!'

'Be wnei di, dwed?'

'Fe ddaw rhywbeth o rywle, gei di weld.'

Gwasgodd y cwpan gwag i'w dwylo agored. 'Dim gair
wrth Mam, cofia,' mynnodd, a cherddodd allan i gwrdd â'r
wawr ar ben Cae-Mawr. Aeth Modryb Megan â'i chyfrinach
yn ôl i'r tŷ.

Pan agorodd ddrws y gegin gwelodd Olwen yn sefyll yno
a golwg ofidus ar ei hwyneb.

'Beth sy'n bod arnat ti? Pam wyt ti wedi codi mor fore?'
'O Modryb Megan! Ddaethon ni ddim â Fflei, ci Sam, yn
ôl gyda ni neithiwr. Mae hi yno ar ben y mynydd ar ei
phen ei hun heb fwyd.'
'Paid â phoeni, Olwen fach, mi fydd Fflei yn iawn!'
'Ond mae'n rhaid i Owain a finne fynd i'w nôl hi.'
'Beth am yr eira?' holodd Modryb Megan. 'Rwyt ti wedi
bod ar goll unwaith yn barod! Mae'n well i chi aros am
eich tad...'
'Ond mi fyddwn ni'n iawn, Modryb Megan,' protestiodd
Olwen. 'Af i ddim cam oddi wrth ochr Owain y tro 'ma.'
Gyda hynny daeth Owain i'r gegin.
Llimprodd y ddau eu brecwast, gwisgo dillad cynnes a
chychwyn ar eu taith i fyny'r bryn. Roedd haul y bore'n
taflu'i olau clir o'u blaen a disgleiriai'r eira ym mhobman.
Cyn bo hir daethant at yr hen fwthyn unig unwaith eto.
'Fflei! Fflei!' galwodd Owain. Yna chwibanodd.
Rhywle o gefn y bwthyn ymddangosodd ci defaid brown
a gwyn. Rhwbiodd yr ast ei phen yn erbyn llaw Owain.
Gwnaeth Olwen dipyn o ffws ohoni tra aeth Owain i weld
a oedd popeth yn iawn.
Pan ddychwelodd roedd yn cario ffon fugail Sam yn ei
law dde. Yna tynnodd ei het wlân dros ei lygaid ac
adroddodd mewn llais crynedig:

> 'Bugail oedd fy nhaid.
> Bugail oedd fy nhad,
> Bugail ydwyf finnau
> Y gorau...'

Chafodd e ddim gorffen. Roedd Olwen yn chwerthin
cymaint oherwydd ei ystumiau doniol, a Fflei yn cyfarth
yn wyllt.
'Dyma ddarn o gordyn beindar. Clyma hwn am ei gwddf
fel coler,' dywedodd Owain.

27

Roeddynt yn rhy brysur i sylwi bod yr wybren yn tywyllu unwaith eto, a bod gwynt llym yn chwythu o'r gogledd. Dechreuodd rhagor o eira ddisgyn, a chyn pen dim roedd hi'n amhosibl iddynt weld ei gilydd heb sôn am y ffordd yn ôl.

Cydiodd Owain yng nghordyn Fflei a bachodd fraich Olwen â'r ffon fugail. Rywsut, rywfodd, llwyddodd y tri i gyrraedd y brig, a phrofiadau'r dydd o'r blaen yn fyw ym meddwl Olwen. Edrychai'r plant fel dynion eira, a Fflei fel rhyw ddafad fawr wen rhyngddynt.

'Gad i ni aros yma am funud neu ddwy,' cynghorodd Owain. 'Edrych! Mae'n dechrau goleuo'n barod!'

Gostegodd y gwynt yn y man a diflannodd y gawod eira mor sydyn ag y daeth.

'Dyna welliant!' meddai Olwen gan ysgwyd yr eira oddi ar ei dillad. 'Arwain ni'n ôl i'r fferm yn syth cyn i ni gael cwymp arall o eira.'

Gwenodd Owain a thynnodd Fflei ychydig i'r dde.

'Dyma'r ffordd, dilyn ni!' Carlamodd drwy'r gwynder gyda'r ci'n neidio'n llawen yn ei ymyl.

Chwarddodd Olwen wrth weld Fflei yn tasgu'r eira i bobman. Ambell dro diflannai o'r golwg dan yr wyneb cyn codi eto'n domen wen.

'Dyna ni!' gwaeddodd Owain gan gyfeirio â'i fraich at y ffermdy oddi tanynt.

Cyn pen dim roeddent yn ôl yng ngwres y gegin a Fflei yn ddiogel gyda'r cŵn eraill.

'Diferyn o gawl cyw iâr i'ch twymo,' dywedodd Modryb Megan, gan osod y llestri a'r llwyau yn eu lle.

Wrth fwyta'r bwyd maethlon yn awchus, sylwodd y plant nad oedd fawr o siarad rhwng yr oedolion. Gwenai Mam-gu fel arfer wrth symud o amgylch y gegin; un serchus ei golwg a'i natur oedd hi erioed. Syllai eu tad i'r tân, ac ni chodai eu mam ei golwg oddi ar dudalennau hen

28

gylchgrawn amaethyddol a gafodd ar silff y ffenestr. Roedd meddwl am orfod dychwelyd i Lundain ymhen rhai dyddiau fel cwmwl du ar ei hysbryd.

'Sylwaist ti fod Dad a Mam yn dawel heno?' sibrydodd Olwen wrth iddi hi ac Owain ddringo'r grisiau i'w gwelyau, y noson honno. Oes gen ti syniad beth sy'n bod?'

'Nac oes. . . ond rwy'n siŵr y bydd popeth yn iawn. Dere, paid â hel meddylie. . .'

Pennod 5

Bore trannoeth ar ôl brecwast aeth Owain yn syth at y cŵn i wneud yn siŵr fod ganddynt ddigon o ddŵr a bwyd. Pan gyrhaeddodd ei chwaer y sgubor yn dynn ar ei sodlau edrychodd braidd yn syn arni.

'Ble mae Dad?' holodd.

'Roedd e ar ei ffordd yma ond daeth Modryb Megan i'w alw at y ffôn.'

'Be sy'n bod eto? Rydw i eisiau mynd i fyny i'r cae pella gydag e ar y tractor.'

'Fe ddaw e nawr.'

Gyda hynny clywodd y ddau sŵn peiriant yn cael ei danio ar y buarth. Neidiodd Owain at y drws.

'Hei! Nid y tractor ydy hwnna!' gwaeddodd. 'Ble mae Dad yn mynd?'

Erbyn iddo gyrraedd y buarth gwelodd y car â'i dad wrth y llyw, yn troi i mewn i'r lôn ar ei ffordd i heol y cwm. Rhedodd Owain yn syth i'r tŷ.

'Beth sy'n digwydd bore 'ma? Pam mae Dad wedi mynd â'r car? Rown i am fynd gydag e i'r caeau pella.'

'Paid â phoeni, fe ddaw e'n ôl maes o law. Wedi mynd i'r ysbyty mae e, i nôl Sam,' dywedodd Mam-gu.

'Ond dyw Sam ddim i ddod adre tan 'fory.'

'Mae e newydd ffonio o'r ysbyty yn gwbl benderfynol. Os na fydd dy dad yno ymhen yr awr, fe fydd e'n dechrau cerdded adre! Nawr wyt ti'n deall?'

Cododd Owain ei aeliau a'i ysgwyddau a gwenodd.

'Arhoswch nes bo fi'n dweud y newyddion wrth Olwen,' a llamodd allan i'r buarth.

Aeth Mam-gu ymlaen â'i gwaith tra oedd Modryb Megan a Menna wrthi'n paratoi lle cyfforddus i dderbyn Sam.

Yn y cyfamser dringodd Owain ac Olwen drwy'r eira i fyny'r bryn y tu ôl i'r ffermdy.

'Beth wyt ti'n meddwl sy'n bod ar Mam a Dad?' holodd Olwen. 'Mae rhywbeth yn eu poeni'n arw.'

'Efallai eu bod nhw wedi blino'n lân ar ôl teithio, neu efallai mai ti sy'n dychmygu pethau. Aros di nes bydd Sam yn ôl. Bydd popeth yn iawn eto, gei di weld.'

'Wyt ti'n siŵr?'

'Ydw! Dere, gad i ni chwarae gêm neu rywbeth.'

'Beth am wneud dyn eira, dyn eira mawr fan yma, i groesawu Sam gartre?' awgrymodd Olwen.

'Syniad da,' cytunodd Owain, 'ond gad inni ei ddodi fe draw fanna. Bydd e'n gallu'i weld e o'r gegin wedyn.'

Rhuthrodd Olwen i lawr y rhiw i'r sgubor i nôl bwced a rhaw, a chyn i Owain gyrraedd y fan ddelfrydol ar ysgwydd y bryn roedd hi'n ôl yn ei ymyl yn pwffian a chwythu a chwerthin.

Cyn bo hir roedd ganddynt ddyn eira enfawr, un llawer mwy na'r un o'r ddau. Gosodwyd y bwced coch yn het am ei ben a dau gnepyn o lo brig yn bâr o lygaid tywyll iddo. Chwarddodd y plant o weld eu creadigaeth.

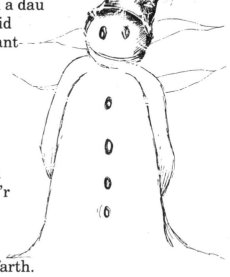

'Bydd pawb yn gallu'i weld e'n ddigon hawdd nawr,' dywedodd Olwen wrth droi i lygadu'r ffermdy.

'O! Edrych, mae'r car yn ôl!'

'Heb ragor o ffwdan rhedodd a llithrodd y ddau i lawr drwy'r eira at y buarth. Roedd hi'n ddigon amlwg fod rhywbeth anghyffredin yn digwydd yno gan fod y cŵn yn neidio a chyfarth.

31

Pan wthiodd y ddau eu ffordd i mewn i'r gegin, roeddent yn disgwyl gweld Sam yn gorwedd, neu o leiaf yn eistedd mewn cadair esmwyth â'i goes yn pwyso ar stôl fechan. Cawsant sioc! Roedd pawb yn yr ystafell yn eistedd ond Sam. Roedd yntau'n fochgoch yn llewys ei grys ac ar ei ffyn baglau yn clymhercian ar hyd llawr y gegin fel rhyw glown doniol. Adroddai hanes ei brofiadau yn yr ysbyty. Roedd dagrau'n llifo i lawr gruddiau ei wrandawyr wrth iddynt chwerthin gymaint. Tawelodd y cyfan pan welodd Sam y newydd ddyfodiaid.

'Helô? Dyma'r Doctor Hŵ a Fflorens Neitingêl wedi dod i 'ngweld i. Diolch i chi'ch dau am ddod i chwilio amdana i.'

'Ond Sam, ry'ch chi wedi torri'ch coes,' mynnodd Owain. 'Ry'ch chi i fod yn yr ysbyty!'

'Twt-twt! Cleifion sy fod yn yr ysbyty, 'machgen i, cleifion!'

Yna cnociodd y plastr ar ei goes ag un o'i ffyn.

'Weli di hwn? Cystal â newydd! Mae e fel darn o bren derw. Rydw i'n iawn, 'machgen i, ar ôl tipyn bach o sylw yn yr ysbyty. Hei! Diolch am ddod â Fflei 'nôl yma.'

Trodd Sam at y lleill gan gwyno iddo fod yn llawer rhy dwym yn yr ysbyty.

'Roeddwn i'n teimlo'n gywir fel tomato mawr coch mewn tŷ gwydr.'

Aeth ymlaen i adrodd iddo ofyn i un o'r nyrsys os oedden nhw'n ceisio'i gadw'n gynnes neu'i goginio. Chwarddodd pawb eto. Roedd Sam wrth ei fodd.

Wedi cinio ardderchog a llu o straeon difyr, penderfynodd Olwen ei bod eisiau treulio'r prynhawn yn chwarae â'i hanrhegion. Roedd Owain am fynd allan, ond penderfynodd aros ac ymuno â'r cwmni i chwarae gêmau o amgylch y ford, i daflu dîs, i ddringo'r ysgolion serth ac i lithro i lawr dros gefnau'r nadredd gwenwynig wrth geisio cyrraedd adref gyntaf.

Ar ôl te ysgafn o bastai mwyar, teisen Nadolig a bisgedi siocled, paratôdd pawb i wylio *Newyddion Chwech* ar y teledu. Rhoddodd Owain bwt i benelin ei chwaer.

'Edrych ar Sam!'

Chwarddodd y ddau am ben yr hen fugail druan â'i geg yn agored, yn chwyrnu cysgu.

'Mam-gu! Beth sy'n mynd i ddigwydd i Sam ar ôl iddo wella?' gofynnodd Olwen.

'Mae e'n mynd i aros yma gyda ni. Mae digon o le iddo, a chaiff ddigon i wneud i'w gadw'n hapus.'

33

'Ond beth am y bwthyn a Fflei?' gofynnodd Owain.

'Beth—beth ddwedoch chi am Fflei?' gofynnodd Sam gan ddihuno'n sydyn o'i gwsg.

'O! Mam-gu oedd yn dweud . . .'

Stopiodd Olwen ar hanner y frawddeg.

'Dweud beth?' gofynnodd Sam yn gwbl effro erbyn hyn.

Daeth distawrwydd anesmwyth dros y gegin. Gwenodd Mam-gu a chododd o'i chadair i droi sain y teledu i lawr. Roedd pawb â'u llygaid arni.

'Fi ddywedodd wrth Olwen taw yma bellach fyddwch chi'n byw—chi a Fflei.'

'Ond pan fydd y goes 'ma'n well, mi fydda i'n ôl yn yr hen ddyddyn eto, gewch chi weld!'

Daeth Modryb Megan at ochr Sam a dweud yn dawel:

'Mae Mam yn iawn, Sam. Erbyn hyn does dim dewis 'da chi, ry'ch chi'n un o deulu Pen-Cwm a dyma'ch cartref chi nawr.'

Gwenodd Sam arni a gwasgodd ei llaw yn dyner. O gornel ei lygad sylwodd fod y plant yn gwrando'n astud ond nad oedd eu rhieni'n cymryd fawr o sylw o ddim a ddigwyddai.

'Beth am ychydig o hanes y brifddinas? Shwd mae pethau tua Llundain, Harri?' gofynnodd.

'Digon prysur yw hi yno o hyd,' atebodd Harri'n sychlyd.

'Bachgen! Rydw i'n cofio mynd i fyny i'r sioe yn Smithfield rai blynyddoedd yn ôl. Sôn am hen le myglyd a swnllyd! Alla i ddim dweud mor falch own i o ddod 'nôl i dawelwch y cwm.'

'Dyw'r lle ddim yn siwtio pawb,' meddai Menna'n dawel.

'Dyw e ddim yn lle i godi plant, 'weda i. Yma yn yr awyr ffres, gyda'r grug a'r adar mân, ddylai'r ddau 'ma fod, nid mewn hen ddinas stwrllyd, ddideimlad.'

'Ry'ch chi'n llygaid eich lle, Sam. Mi fasai'n braf byw yma'n y Cwm ond rhaid ennill bywoliaeth.'

'Mi faswn i wrth fy modd yn byw ar fferm eto,' ychwanegodd Olwen. 'Mae Mam o hyd yn dweud fod ein fflat ni fel cwt ieir. Does dim lle i droi yno ac mae'n rhaid i mi rannu llofft ag Owain!'

'Mi fasai'n braf cael ci fel Fflei, Nel neu Mot hefyd!'

'A chael crwydro'r mynyddoedd...'

Pennod 6

Tua deg o'r gloch ar y bore olaf ond un o'r gwyliau cyhoeddodd y cŵn ar y buarth fod dieithryn yn agosáu.

Agorodd Modryb Megan ddrws y gegin a gwelodd un o blant y pentref ar y trothwy.

'Helô, Aled! Dere i mewn. Beth wyt ti'n wneud yma?'

Bachgen â phennaid o wallt golau, tua'r un oed ag Owain oedd Aled. Cariai barsel bach wedi'i lapio mewn papur brown.

'Rhywbeth i Mr Morgan oddi wrth 'Nhad-cu. Shwd mae e'n gwella?'

'Wel, dere i ti ga'l 'i weld e.'

Gwenodd Sam ar y bachgen. 'Diolch, Aled. Oddi wrth dy dad-cu ddywedaist ti? Chwarae teg iddo! Cofia ddiolch iddo fe a dwed, nawr fy mod i'n byw ym Mhen-Cwm, y bydda i'n gallu galw heibio'n amlach o hyn ymlaen.'

Rhoddodd Sam winc fach ac meddai, 'Blant! Pam nad ewch chi mas ag Aled am dro. Rwy'n siŵr bod well 'dag e eich cwmni chi nag aros yma'n sgwrsio â hen ddyn fel fi!'

Nid oedd angen perswadio o gwbl! Diflannodd y tri.

Cyn bo hir roeddynt yn ôl yn y gegin eto.

'Mam, ga i fynd i dŷ Aled i weld ei golomennod rasio? Mae ganddo dros gant ohonyn nhw.'

'Wn i ddim . . .'

'Gadewch iddo fynd,' awgrymodd Sam, 'Fe fydd yn addysg iddo.'

Gwenodd ei fam a nodiodd.

'All Aled ddod 'nôl i ginio wedyn?' sibrydodd Owain.

'Wrth gwrs,' meddai ei fam, heb unrhyw annog gan Sam.

Rhedodd y ddau o'r gegin at y lôn a diflannu o'r golwg gan adael Olwen yn ddiwyd wrth ei pheiriant gwnïo newydd.

Galwodd y postman ychydig yn hwyrach a daeth â llythyr mewn amlen binc i Olwen.

'O, Mam! Gwahoddiad i barti pen blwydd Heledd yn y pentref. Ga i fynd heno?' gofynnodd yn gyffrous.

'Byddwn ni'n pacio heno er mwyn mynd 'nôl i Lundain 'fory. Mae'r ysgol yn dechrau drennydd,' atebodd ei mam.

'Dydw i ddim eisiau mynd 'nôl i Lundain,' protestiodd Olwen. 'Rydw i'n hapus yma!'

'Paid ti â dechrau,' dywedodd ei mam yn ddiamynedd. 'Bydd hi'n ddigon clywed Owain yn protestio pan ddaw e'n ôl.'

Ddywedodd Sam ddim am y tro. Gwenodd pan agorodd

y parsel roedd Aled wedi ei roi iddo: hanner pwys o'i hoff losin sinsir.

Amser cinio ym Mhen-Cwm y diwrnod hwnnw, clywodd pawb am adar arbennig Aled. Adroddodd Owain am y cytiau oedd ganddo i'w cadw, am y bwyd, y cloc rasio a'r modrwyon, effaith y gwynt ar ganlyniadau ac am gyflymdra o 110 milltir yr awr gan golomen. Dangosodd y pentwr o gylchgronau a gafodd.

'Mae Aled am roi dau ddwsin o'i golomennod imi unwaith y bydd 'da fi sied fach yn barod ar eu cyfer. Ac mae e wedi gofyn imi fynd gydag e i weld tîm rygbi Abertawe yn chwarae ar faes Santes Helen.'

Gwenodd Sam yn dawel wrtho'i hun yn ei gadair yn ymyl y tân. Gwyddai nad oedd Owain chwaith am ddychwelyd i Lundain. Mewn llais bach diniwed gofynnodd gwestiwn i Aled.

'Faint o blant sydd yn dy ddosbarth di yn yr ysgol?'

'Pymtheg.'

'Owain, faint o blant sydd yn dy ddosbarth di yn Llundain?'

'Tri deg.'

'Wel, wel! Aled, oes lle i grwt arall yn dy ddosbarth di?'

'Bydden nhw'n falch iawn o groesawu un arall i'r dosbarth.'

'Dyna drueni, Harri, dy fod yn ysu am fynd â'r teulu 'nôl i Lundain. Twll o le yw e yn fy marn i.'

'Dydw i ddim eisiau mynd yn ôl,' protestiodd Owain.

'Na finne chwaith,' ychwanegodd Olwen.

Chwiliodd eu mam am ryw esgus i anfon y tri phlentyn allan o'r ffordd gan fod geiriau Sam ac ymateb y plant wedi ei phrocio.

'Pryd ydych chi'n mynd 'fory?' gofynnodd Sam.

'Tua'r deg 'ma,' atebodd Harri'n dawel.

'Os gall yr hen gar 'na gychwyn,' ychwanegodd Menna

yn bigog. 'Cofia roi digon o ddŵr yn y rheiddiadur 'na a llenwi stên yn barod!'

Yna daeth Olwen yn ôl i'r gegin i boeni'i mam unwaith eto ynglŷn â mynd i'r parti.

Roedd aelwyd Pen-Cwm dan gwmwl y prynhawn hwnnw!

Penderfynodd Sam gael sgwrs â Mam-gu ynglŷn â'r mater, tra aeth Modryb Megan a'i chwaer-yng-nghyfraith ati i olchi'r llestri a chlirio.

Cafodd Olwen fynd i'r parti pen blwydd yn ddiweddarach y prynhawn hwnnw, a phan ddychwelodd doedd dim taw ar ei thafod. Roedd Owain hefyd yn llawn cyffro a chynlluniau ar gyfer y dyfodol. Ond distaw iawn oedd eu tad.

Edrychodd eu mam ar ei wats a gorchymyn:

'Wel blantos. Bant â chi i'r gwely 'na. Mae 'da ni ddiwrnod hir o'n blaene 'fory.'

Tynnodd y ddau wynebau hirion a chan lusgo'u traed aethant dan rwgnach i waelod y staer. Roeddynt bron â chyrraedd y copa pan glywsant lais Sam:

'Nawr fod y plant wedi diflannu mae rhywbeth gen i i'w ddweud.'

Meinhaodd y ddau eu clustiau, gan aros yn eu cwrcwd ar ben y staer.

'Beth sy'n digwydd, Owain?' sibrydodd ei chwaer.

'Bydd ddistaw, i ni ga'l clywed,' atebodd Owain gan eistedd yn gyffrous ar y grisiau.

Sam oedd yn siarad. Roedd â'i lach ar Lundain yn ofnadwy. Ac yna meddai,

'Dydw i ddim am ddweud sut y dylsech chi fagu'ch teulu, ond nid Llundain yw'r lle i fagu plant! Mae 'da fi gynnig bach i'w drafod, a dyma fe.'

39

'E?' holodd Olwen.

Rhoddodd Owain ei fys ar ei wefus fel rhybudd iddi.

'Gan nad oes dewis 'da fi bellach ond derbyn yn llawen a diolchgar y lodjins swanc yma ym Mhen-Cwm, mae 'da fi dipyn o broblem fach i'w datrys. Rydw i'n sôn am yr hen dyddyn 'na sy gen i, ac am eich helpu chi fel teulu.'

'O-o-o! Dyw e ddim am inni fynd i fyw yno ydy e?' gofynnodd Olwen yn wichlyd.

'Bydd ddistaw!'

'Beth yn gywir sy 'da chi mewn golwg, Sam?' gofynnodd eu tad yn bwyllog.

'Dyw'r hen fwthyn ei hun yn fawr o beth, ond mae 'na bump o gaeau da i'r tyddyn, a . . . a . . .'

'A'r hyn mae Sam yn geisio'i ddweud yw...' Llais Mam-gu oedd i'w glywed nawr. '...Os wyt ti, Harri, am ddodi pum cae Sam at diroedd Pen-Cwm a'u ffermio fel un, mae can croeso i ti neud hynny!'

Edrychodd y plant ar ei gilydd yn syn a thorrodd gwên fawr dros eu hwynebau.

'Cer i lawr i agor y drws yn dawel i ni gael gweld beth sy'n digwydd!' gorchmynnodd Olwen.

Drwy gil y drws gwelodd y ddau wyneb hapus Sam wrthi'n cynnig llwnc destun i bawb ac yn dymuno 'Blwyddyn Newydd Dda!' Roedd Modryb Megan yn gwenu'n rhadlon a gwelsant ddeigryn bach o lawenydd yn llifo i lawr wyneb Mam-gu.

'Ydy Mam yn hapus?' holodd Olwen.

'Alla i ddim gweld... mae ei chefn hi at y drws.'

Yna torrodd llais eu mam ar draws y tawelwch.

'Mi fydd hi'n llawer rhatach byw yma, Harri,' meddai'n obeithiol. 'Ond wyt ti'n siŵr y bydd dy gyflogwr yn fodlon dy ryddhau di ar fyr-rybudd?'

Gwelodd y plant eu tad yn camu draw at gadair eu mam, a rhoi ei fraich amdani.

'Dim problem, Menna fach!'

Sylwodd Owain fod wyneb ei dad yn wridog braidd a bu'n ddigon craff i weld y winc a roddodd i Modryb Megan.

'Dere, Olwen! Gwell i ni fynd i'r gwely nawr. Mae taith flinedig 'da ni fory, cofia!'

'Oes, ond mi fyddwn ni'n ôl ym Mhen-Cwm cyn bo hir, Owain!'

Pennod 7

Ar fore ola'r gwyliau bwydodd Harri yr anifeiliaid yn gynnar fel arfer. Trodd drwyn y car tuag at y lôn a sychodd y ffenestri cyn mynd am ei frecwast.

Pan gerddodd i mewn i'r gegin fe'i synnwyd gan lu o wynebau serchus, pob un yn gwenu.

'Wel dyma beth yw brecwast teuluol,' dywedodd. 'Beth sy' 'da chi'ch dau i ddweud am y newyddion 'te?'

'Oes rhaid inni fynd 'nôl i Lundain heddi? Allwn ni'n dau aros yma ym Mhen-Cwm?' gofynnodd Owain.

'Mae 'da ni bethe pwysig i'w gwneud yn Llundain 'gynta, wedyn mi allwn ni symud i Ben-Cwm.'

'Eitha gwir,' ategodd Sam o'i gadair, 'ac erbyn hynny mi fydda i'n ôl ar fy nwydroed eto. Gewch chi weld!'

Daeth cnoc ysgafn ar ddrws y gegin ac aeth Modryb Megan i'w agor.

'Bore da, Aled, dere i mewn.'

'Ga i weld Owain, os gwelwch yn dda? Rydw i am ofyn ffafr.'

'Beth wyt ti eisie?' holodd Owain.

'Wnei di fynd â'r fasged yma o golomennod a'i hagor hi yn y Gwasanaethau ar Bont Hafren heddiw?'

Edrychodd Owain yn syn arno. Beth? Roedd ei ffrind yn fodlon trosglwyddo ei adar gorau i'w ofal!

Eglurodd Aled ei fod yn paratoi'r colomennod ar gyfer ras fawr yn ddiweddarach yn y tymor, ac y byddai'r ymarfer o hedfan yn ôl o'r pellter hwnnw yn taro i'r dim.

Roedd Owain wrth ei fodd. Cydiodd yn y fasged a'i chario'n urddasol allan i'r buarth. Roedd un aelod o'r teulu, o leiaf, ar dân i ddechrau'r daith yn ôl.

Mewn dim o dro roedd y teithwyr ac Aled yn y car. Llusgodd Sam at ddrws y gegin, gyda Mam-gu a Modryb Megan wrth ei ochr, i ffarwelio â'r teulu.

Ar waelod y lôn arafodd y car a neidiodd Aled allan.
'Cofia ysgrifennu,' galwodd Owain ar ei ôl.

Gyrrodd Harri yn ofalus i lawr heol y cwm a throdd i
ymuno â'r draffordd yn ymyl Treforys. Ond daliai'r plant
i edrych drwy'r ffenestr gefn, er bod y ffermdy wedi hen
ddiflannu.

'Wel, gawsoch chi wylie da drwy'r cwbwl 'te?' holodd eu
mam yn siriol.

'Roedd yn arbennig!' meddai Owain.

'Yn bril,' cytunodd Olwen.

'O! Edrych Owain! Yr aderyn 'na, y golomen fach wen a
welson ni o'r blaen. Mae hi yma o hyd.'

Syllodd Owain drwy'r ffenestr. Yn wir roedd colomen
wen i'w gweld yn amlwg ar ben postyn lamp ar ymyl y
ffordd.

43

Chwibanodd Olwen arni. 'Mae wedi bod yn ein disgwyl, gelli di fentro.'

'Paid â bod yn ffôl,' atebodd Owain.

Cododd y golomen a hedfanodd mewn cylch uwchben y car cyn diflannu o'r golwg.

'Welaist ti 'na? Roeddwn i'n iawn,' mynnodd Olwen. 'Dyna'i ffordd hi o ddweud ffarwél.'

Caeodd Owain ei lygaid a siglodd ei ben o ochr i ochr heb ddweud mwy.

Gwenodd eu mam a sibrydodd, 'Peidiwch â blino. Mi fyddwn ni'n ôl erbyn y Pasg rwy'n siŵr, a bydd hithe yno i'n croesawu.'

Roedd meddwl eu tad ar y dyfodol hefyd. Sut roedd e'n mynd i gyfaddef wrth ei wraig ei fod wedi'i wneud yn ddiwaith? Gorau po gyntaf y câi wybod y gwir. Yna, byddai'n rhaid gosod y fflat yn Llundain ar werth cyn gynted â phosib. Byddai'n rhaid cwrdd ag athrawon y plant a threfnu symud ysgol. Byddai'n rhaid llogi lorri i symud y celfi. Byddai'n rhaid . . . Ond na, y peth cyntaf i'w wneud oedd cyrraedd Pont Hafren yn ddiogel a rhyddhau colomennod Aled!